綠野仙蹤

奇幻物語

2

目錄

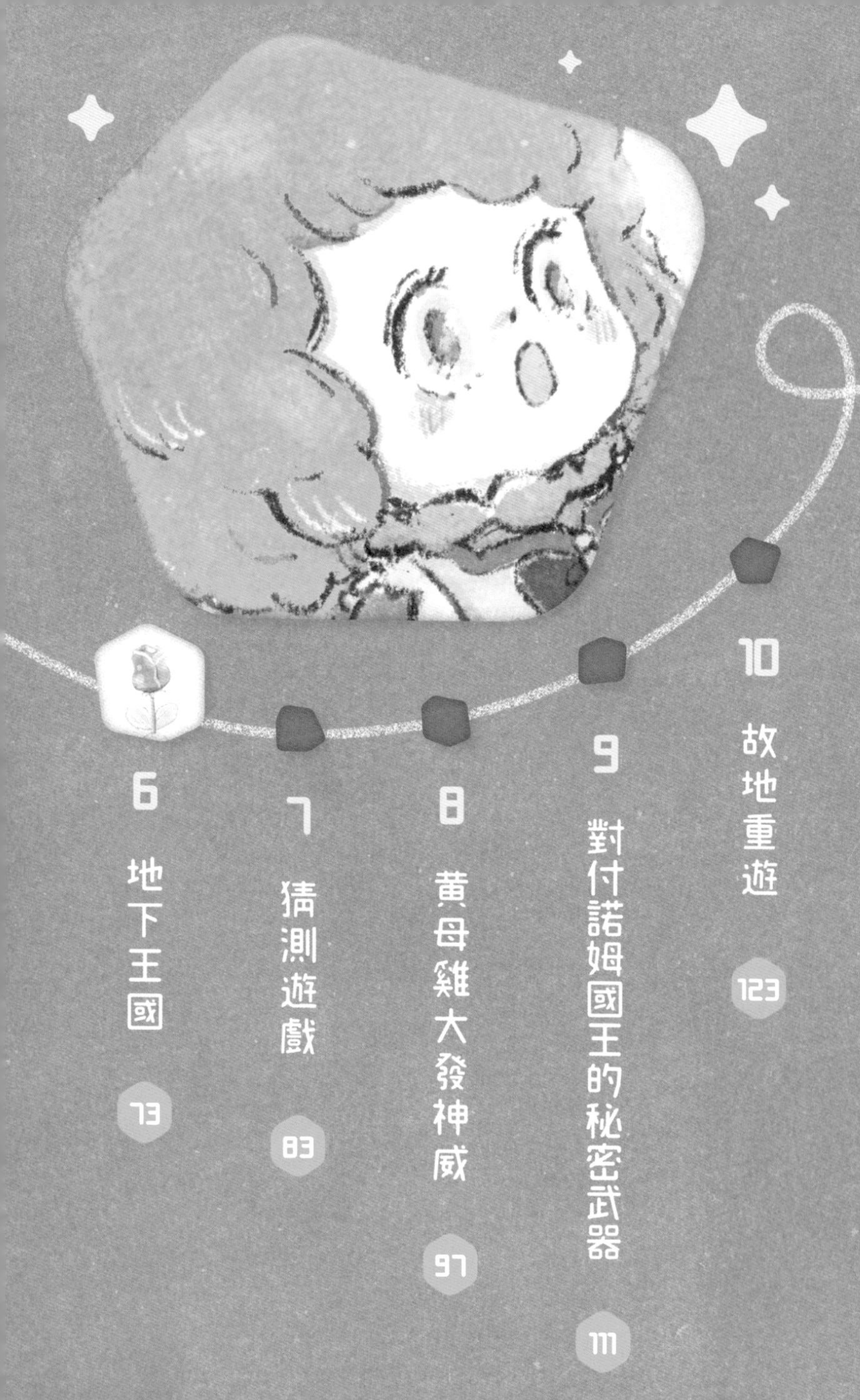

角色介紹

桃樂絲

活潑好動的小女孩，與叔叔嬸嬸同住，一次海上風暴又將她帶到奧茲國的比鄰，與老朋友們再次踏上冒險旅程。

托托

桃樂絲的小狗，活潑可愛，發現奧茲國大部分動物都能說話，但牠依然只能汪汪叫。

稻草人

呆頭呆腦，因為腦袋裡裝的是草，但自從得到奧茲大法師給予的腦袋後，自覺聰明了不少。

鐵皮人

本來是個年輕樵夫，卻被壞女巫變成了一個鐵皮人，連心也變成了一塊鐵。不過奧茲大法師給他一顆心之後，他自覺回復了豐富的情感。

膽小獅

雖然是獅子，卻十分膽小，因為習慣了其他動物都會迴避獅子，所以不懂得處理困境。牠喝了奧茲大法師的「勇氣之泉」後，曾英勇過一陣子，但很快又感到藥力消散，回復原狀。

比麗娜

意外與桃樂絲一起漂流到奇幻仙境的黃色母雞，好勝、話多，習慣每天準時下一隻蛋，然後開心地咯咯大叫。

奧茲瑪

奧茲國前國王的女兒，漂亮而富正義感，曾失蹤多時，但如今已繼承王位，成為了奧茲國的女王。稻草人、鐵皮人和膽小獅都輔助她。

小滴答

埃弗國「史密斯與丁克」工廠出品的機械人，身上有三組發條，分別能使他思考、説話和行動，本來屬於埃弗國前國王，但給桃樂絲解救了之後，就視桃樂絲為新主人。

諾姆國王

被稱為岩石之王羅克特，性格殘酷、狡猾、愛玩，是地下世界的統治者，統領著數萬名諾姆。諾姆是一群長相古怪的岩石精靈，日夜對著熔爐工作，打造珍貴金屬。

朗威德公主

埃弗國前國王的侄女，懶惰、揮霍、極度愛美，不滿足於只用衣服來裝飾自己，還要隨意更換自己的頭，所以她有三十個可以替換的頭。

飢餓虎

膽小獅的好朋友，外表兇猛，但內心善良，雖然很想吃肉，但堅持不主動殺生，只會吃已死的動物，因此經常感到肚餓。

大海刮起了狂風，巨浪翻滾，將一艘船拋得顛簸起伏，險象環生。

船上其中一位乘客是桃樂絲，她陪亨利叔叔一起去澳洲探親，而艾姆嬸嬸則留在堪薩斯的家裡照料農場。

海上風暴愈吹愈烈，亨利叔叔卻不知道跑哪兒去了，桃樂絲十分擔心，於是四處搜索，大聲呼喊：「亨利叔叔！你在哪兒？」

桃樂絲在甲板上見到一個男人抱著桅杆，看起來有點像亨利叔叔，便慌忙跑過去，「亨利叔叔！」

可是船身一晃，她站不穩，與一個在甲板上

的雞籠一同掉進了大海。

桃樂絲不知道自己昏暈了多久，才給一陣雞叫聲驚醒。

「咯咯咯咔噠咯！咯咯咯咔噠咯！」

桃樂絲慢慢地張開眼睛，發現自己正躺在一個雞籠上，而雞籠已擱在岸邊。

她揉了揉惺忪的眼睛，很快就留意到一隻黃色的母雞正站在雞籠邊上大聲叫著：

「什麼情況？」桃樂絲嚇了一跳。

「我只不過剛下了一隻蛋而已。我每天都會準時下蛋，下完蛋就情不自禁地叫起來，你不用大驚小怪。」黃母雞說。

但桃樂絲還是感到很驚奇，「你為什麼能講話？」

黃母雞不耐煩地說：「我怎麼知道，你不如問問自己為什麼能聽懂我講話？」

「這種情況我只在奧茲國的時候遇到過，在那個仙境裡，幾乎所有動物都能說話。難道這裡是奧茲國？」桃樂絲發現黃母雞已經跳下雞籠，用尖嘴啄著海灘上的沙，又用爪子拚命地刨著，便問：「你在幹什麼？」

「當然是找早餐了。」黃母雞一邊刨沙一邊說。

「那你找到了什麼？」

「噢，一些肥嫩的紅螞蟻、沙蟲……」

「太噁心了！」桃樂絲驚叫道。

「你們人類吃的東西才噁心，一點都不新鮮。別以為我不知道，你們喜歡把我們煮熟了再吃！」

桃樂絲望著黃母雞，顯得有點尷尬和內疚。

黃母雞充滿戒心地說：「你別打我的主意啊，你餓的話，可以吃我剛才下的蛋。」

「你不打算孵小雞嗎？」桃樂絲驚訝地問。

黃母雞臉紅起來，「我還是單身的，那顆蛋裡沒有小雞。」

「噢，但我不吃生雞蛋。」桃樂絲說：「不過還是要謝謝你的好意。對了，你有名字嗎？我叫桃樂絲。」

「我叫比爾。」黃母雞回答。

桃樂絲有點訝異，「你不是母雞嗎？比爾是男孩子的名字。」

「我還是小雞的時候，農場裡的小男孩看不出我是雌是雄，就隨便為我起了這個名字。」

「這怎麼行，你是母雞，該改一個女孩子的名字。」桃樂絲想了一想，「不如就將『比爾』改為『比麗娜』？」

「隨便吧，反正只有你們人類才會那麼在乎名字。」黃母雞聳聳肩，又繼續啄沙子，但忽然痛叫了一聲：「哎喲！」

「什麼事？」桃樂絲緊張地問。

「我啄到金屬了，差點弄斷我的嘴巴。」

桃樂絲這時才認真細看四周的環境，這裡是一片鋪滿白色沙礫的海灘，幾座岩石小山聳立在沙灘之外，再遠一點有一排茂盛的大樹，那是森林的邊界。但桃樂絲沒看到任何房子，或任何人類生活的痕跡。

「在這個渺無人煙的海邊，怎麼可能有金屬呢？」桃樂絲疑惑道：「在哪兒？我把它挖出來看看。」

比麗娜用翅膀指了指牠啄到金屬的地方。桃樂絲便走過去，蹲下身，挖起沙子來。不一會，她居然挖出了一把金色的鑰匙，不禁大感意外，「比麗娜，你覺得這鑰匙怎麼會在這裡？它是用來打開什麼的？」

比麗娜睥睨著她，「我怎麼知道，你有見過母雞使用鑰匙和鎖嗎？」

「有鑰匙，自然就有鎖。比麗娜，我們到周圍看一看。」桃樂絲說著就往遠處那片森林走，比麗娜亦跟著去探險。

她們離開沙灘，從一座岩石小山的山腳下繞到森林的邊緣去。

進入森林後，發現兩棵極奇怪的大樹。其中一棵樹上結滿了方形的紙盒，在成熟的盒子上清楚地寫著「午餐」兩個字。此樹可稱為午餐樹，枝條上開著午餐花，結著午餐盒，連葉子都是餐巾。

但另一棵樹更奇妙，它上面結滿了鐵皮晚餐桶。餐桶裡的食物一定是太豐富了，把粗壯的樹枝都壓得彎下腰去。有的餐桶比較小，呈深棕色，顯然尚未成熟。而真正成熟的晚餐桶會呈現明亮的鐵皮色，在太陽下閃閃生光。

桃樂絲驚喜萬分，踮起腳尖，摘下了一個最大的午餐盒，然後坐在地上，迫不及待打開來，發現內裡有一份火腿

三文治、一件海綿蛋糕、一片醃菜、一塊芝士和一個蘋果。這些食物都好吃極了，桃樂絲很快就把午餐盒裡的東西吃光。

「你不應該空肚吃午餐的。」比麗娜說。

「為什麼？」

「因為空肚吃的就是早餐，不是午餐。」

「那就當早餐吃吧。」

「不行，紙盒上明明寫著是『午餐』。」

「比麗娜，別那麼固執。」桃樂絲說：「一個人餓的時候，管它是早餐午餐還是晚餐，吃了再說。現在我就去摘一個晚餐桶下來，留到我餓的時候吃。然後我們再到周圍探險一下，看看這裡究竟是什麼地方。」

「你說奧茲國裡的動物都能說話，這裡會不會就是奧茲國？」比麗娜問。

桃樂絲看了看四周，「應該不是。因為我去過奧茲國，那裡四面都被大沙漠包圍著，沒有人能夠安全穿過去。而我們卻是從大海漂浮到這裡來的。」

「那你是怎麼從奧茲國出來的？」比麗娜問。

「我曾經有一雙魔法銀鞋，能帶我飛越沙漠，可惜那雙鞋已經消失了。」桃樂絲一邊說，一邊從晚餐樹上摘下了一個又大又亮的晚餐桶，挽在手臂上，「走吧。」

她們一起走出森林時，比麗娜突然驚叫道：「那是什麼？」

桃樂絲轉身看過去，見到小路上有一個極古怪的人在追過來。

那人身穿華美的衣裝，頭上歪戴著一頂草帽，從外表看上去完全是一個人，然而，與人類不同的是，他雙腿和雙臂的末端沒有手和腳，取而代之的竟然是四個輪子，並且像野獸那樣四肢著地而行，更確切地說，是像車子那樣靠著輪子走動！

桃樂絲和比麗娜不禁驚呼：「快跑！」

桃樂絲和比麗娜拚命逃跑，車輪人窮追不捨，而且還有一大群車輪人從樹林裡衝了出來，個個穿著華衣美服，四腳著地，高速飛馳。

「快爬到小山上去！」比麗娜叫道，原來牠發現了一座由岩石堆成的山，連忙拍著翅膀，飛到岩石上。

領頭的車輪人差點就把桃樂絲抓住了，幸好桃樂絲及時跌跌碰碰地爬到岩石上。車輪人只能在岩石前面停下來，憤怒地吼叫著。

比麗娜大笑，「哈哈，他們的輪子不能攀石，我們暫時安全了。」

桃樂絲坐在石頭上，喘著大氣。

其餘的車輪人也追到來了，他們的輪子雖然無法攀上岩石，卻也不肯罷休，立刻繞著山腳包圍了整座小山。他們的首領更晃了晃前輪，威脅道：「你們逃不掉了，等著被我們撕成碎片吧，居然敢摘我們的午餐盒和晚餐桶！」

桃樂絲看了看手上挽著的晚餐桶，意外地問：「原來這是你們的嗎？」

「當……然了！」首領回答時，眼神有點閃縮。

「對不起。」桃樂絲連忙道歉，「因為我實在太餓了，而且也不知道那些樹是私人擁有的。我可以付錢向你們買，不過我身上的錢不多。」

她說著從口袋裡摸出了幾個硬幣。

那首領說：「你給我們什麼都沒有用。根據這裡的法律，未經我們允許擅自摘取餐盒的人都要處死！」

「別信他。」比麗娜對桃樂絲說：「一看就知道他在說謊了，那兩棵樹根本不屬於他們的。」

「你……胡說！」首領斥喝道：「快下來接受死刑！」

比麗娜當然不會下去，反而拍著翅膀，連跳帶飛地登向山頂，桃樂絲也跟著攀爬上去。

到達山頂後，她們發現有一條小路能通向山下，不過中途給一塊大石堵住了，所以車輪人也無法從這小路上來抓她們。

「桃樂絲，你看，這好像是一扇石門。」比麗娜指著一堆岩石群說。

桃樂絲看過去，在那堆岩石群中，果然有一塊特別平滑的大石。

「真的很像一扇門啊，而且小路也是從這裡展開的，咦，你看，這是不是一個鑰匙孔？」桃樂絲發現石門上有一個又小又深的孔洞，於是掏出在海邊撿到的那把鑰匙，插進石門上的洞孔，輕輕地轉動，果然「咔嚓」一聲將門打開了。

「天啊！」桃樂絲驚叫了一聲，因為推開石門後，外面的光線射進去，使她看到小石室裡站著一個人，和桃樂絲差不多高，身軀圓滾滾的像一個大球，連同頭部和四肢都是銅製的，看上去非常古怪。

比麗娜看清楚後，冷靜道：「只是個銅製品，不是活的。」

桃樂絲吁了一口氣，「說起來，我在奧茲國也認識一個鐵皮人，不過他卻是活生生的。他本來是一個正常人，只是被一個壞女巫用魔法變成了鐵皮人。」

這時比麗娜已繞到銅人的背後，突然說：「這裡有一張卡片，你能讀出來嗎？」比麗娜指著銅人脖子後面的一顆小銅釘上所掛著的卡片。

桃樂絲把卡片拿下來，讀出卡片上的內容：

『史密斯與丁克』專利設計

全能機械人

配備三組發條裝置，能思考、說話、行動。

本廠獨家製造，侵權必究。

使用說明

思考：上緊機械人左臂下方的發條

說話：上緊機械人右臂下方的發條

走路和行動：上緊機械人背部中央的發條

一千年品質保證

「這肯定是騙人的，我不相信這個銅人能做到上面所寫功能的一半。」比麗娜質疑道。

「給他上發條試試不就知道了？」桃樂絲說。

發條鑰匙也掛在機械人脖子後面的銅釘上，桃樂絲取了下來，為機械人上緊「思考」發條。

但機械人沒有任何反應。

「看到了吧？一點變化都沒有！」比麗娜挑剔道。

「當然看不到，他只是在思考！」桃樂絲接著又替機械人上「說話」發條。

機械人的嘴唇立即上下開合著，真的說起話來「早——晨，小姑娘。早——晨，母雞。」

他說話斷斷續續，單調呆板，沒有任何情緒起伏。

「早晨，先生。」桃樂絲禮貌地回應。

「謝謝你救——了我。」機械人說。

「不用謝。」桃樂絲好奇地問：「你怎麼會被鎖在這個地方？」

「說來——話長。」機械人回答道：「我的主人是——埃弗國的國王埃弗多——他從『史密斯與丁克』工廠買下我。他是一個殘忍無比的國王，卻擁有一位漂——亮的妻子和十個可——愛的子女。可是有一天，埃弗多居然把他們全賣給了諾姆國王。而諾姆國王利用魔法，把他們全變成了裝飾——品。後來，埃弗多後——悔了，想把妻子和孩子要回來，卻不——成功。他絕望到極，就把我鎖在這個石屋裡，又將石屋的門匙扔進大——海，然後跳海輕生。」

「噢，太可怕了！」桃樂絲叫道。

比麗娜疑惑地問：「你被困在這裡，怎麼知道他後來的事？」

「因為他一直——自言自語，說著他準備要做的事。」機械人解釋，接著問：「你們是——在哪兒找到——鑰匙？」

「在海灘上，估計是被海浪沖到岸上來的。」桃樂絲說：「先生，我可以為你上『行動』發條嗎？」

「當然——我很高興。」機械人說。

桃樂絲於是給他上「行動」發條，機械人馬上動起來，摘下頭上的銅帽子，向桃樂絲深鞠一躬，「從現在起，我就是你的僕——人，樂意接受你的——差遣，只要你時刻為我上緊發條。」

「你叫什麼名字？」桃樂絲問。

「我叫小滴答。因為我——上好發條後，身體裡的鐘——會滴答地響。所以我的前主——人，為我起了這個名字。」

「小滴答，那些車輪人一直守在山腳下，威脅要殺了我們，你有辦法嗎？」桃樂絲問。

「不用怕——」小滴答說話愈來愈慢，最後還停止了。

「怎麼回事？」桃樂絲很驚訝。

「我想應該是他的發條鬆掉了。」比麗娜說。

桃樂絲連忙上緊所有發條，小滴答馬上又繼續說：「謝謝。上一次，你沒把我的發條上緊，現在已經好了。請你盡快享用晚餐，然後把晚餐桶給我，我會替你們對付車輪人。」

「真的？」桃樂絲喜出望外。

但比麗娜又想批評桃樂絲：「等等，這個時間不應該吃晚餐——」

「住口！」桃樂絲忍不住喝止牠，然後坐下來，打開了鐵皮晚餐桶。

這份晚餐可豐富了，有新鮮的檸檬汁、三片火雞肉、兩片牛舌、一些龍蝦沙拉、四片牛油麵包、一件奶油餡餅，還有橙子、大草莓、堅果和葡萄乾。

桃樂絲一邊享用美味的晚餐，一邊問小滴答：「那些午餐樹和晚餐樹是屬於車輪人的嗎？」

「當然不是。那些樹是屬於埃弗國皇室的，只是現在皇室成員都不在了，車輪人便渾水摸魚吧。」由於上緊了發條，小滴答說話順暢了不少。

「這裡的一切太奇特了。」桃樂絲驚嘆道：「會結午餐和晚餐的樹、四肢長著車輪的人，還有像你這樣能説話、思考和行動的機械人，令我想起了奧茲國，那裡也是一個很奇妙的地方。小滴答，你聽説過奧茲國嗎？」

「當然聽説過。在奧茲國，任何奇妙的事情都有可能發生，那是一個無與倫比的仙境，與埃弗國之間只隔著一片沙漠。」

桃樂絲驚喜道：「真的嗎？那太好了！原來這裡離奧茲國不遠，説不定我能去探一下那些老朋友呢。比麗娜，你知道嗎，我在奧茲國有不少好朋友，除了我提過的鐵皮人之外，還有一頭獅子、一個稻草人，而稻草人更是奧茲國的君主，想不到吧？」

比麗娜半信半疑，而小滴答卻告訴桃樂絲：「不好意思，他現在已經不是那裡的君主了。」

「什麼？」桃樂絲很驚訝，「我離開奧茲國的時候，他還是君主啊。」

「可是後來，奧茲國爆發了一場革命。」小滴答說。

小滴答把奧茲國發生的變故告訴桃樂絲：「稻草人被一位叫金珠的女將軍趕下台。但後來稻草人找到了前國王失蹤多年的女兒奧茲瑪公主，並幫助奧茲瑪擊退金珠，繼承了奧茲國王位。稻草人從此就輔助奧茲瑪女王。」

「看來，我離開奧茲國後，那裡發生了很多事情。」桃樂絲邊吃邊說，沒多久就吃完晚餐了，將桶子交給小滴答。

小滴答提著晚餐桶說：「好了，請跟我來，我帶你們下山，到首都埃弗納城去，我會保護你們不受車輪人傷害。」

「太好了！」桃樂絲感激道。

他們於是步出石屋，沿著那條小路往山下走，小滴答帶頭，桃樂絲和比麗娜緊隨著。

遇到那塊堵路的大石頭時，小滴答放下晚餐桶，將大石頭移開，然後又提著晚餐桶繼續前行。

他們一到達山腳，大群車輪人立刻衝過來。只見小滴答不慌不忙，掄起手裡的鐵桶，「嘭嘭嘭」地將四面八方擁上來的車輪人一一擊倒，車輪人紛紛抱著頭逃跑，只剩下首領來不及逃，被小滴答抓住了衣領。

比麗娜興奮地咯咯叫，飛到小滴答的肩膀上說：「做得好！」

「饒命啊！」那個首領竟然啜泣起來，「其實我們並不壞，只是為了保護自己，才不得不假裝凶殘。」

桃樂絲同情道：「別哭，我們不會傷害你，但你必須保證，以後不再嚇唬其他人。」

「知道了。那麼可以放我走了嗎？」首領問。

「不行。你要跟我們一起走，將你所知道的一切告訴我們。」小滴答說，然後押著車輪人首領前行，一起往森林走去。

小滴答邊走邊問：「告訴我，現在誰是埃弗國的君主？」

「根本就沒有君主。」車輪人首領說：「因為所有皇室成員都被諾姆國王囚禁起來了。不過，埃弗多國王的侄女朗威德公主住在皇宮裡，揮霍著國庫，卻從不管事。」

「我一點兒也記不起這個人，她長什麼樣子的？」小滴答問。

「這個我無法告訴你，雖然我足足見過她二十次，但她每一次的樣子都不同。要不是她手腕上總戴著一條掛有紅寶石鑰匙的鏈子，我根本就認不出她是朗威德公主。」

「太怪異了，她一定是個女巫。」桃樂絲吃驚道。

「她不是女巫，只是非常自戀和愛美，據說她的房間裡四面都是鏡子，以便她時刻都能欣賞自己的美貌。」車輪人說。

這時候，他們已經穿過了森林，看到前方是一個美麗的山谷，果樹繁盛，綠草如茵，漂亮的農舍散落各處。

　　在山谷的中央，聳立著一座皇宮，在陽光映照下熠熠生輝、美輪美奐。皇宮周圍鮮花繽紛，灌木茂盛，清泉淙淙，一條平坦的小路通向皇宮，路旁兩邊是一排排白色的大理石雕像。

他們沿路走到皇宮門前，就把車輪人首領放了。

小滴答敲了敲皇宮的大門，一個少女走出來問：「請問你們有什麼事？」

「你好，我曾經是埃弗多國王的機械人，我們想見朗威德公主。」小滴答說。

「請進來。」小侍女帶他們來到一個豪華的會客廳，光線透過彩色玻璃灑滿每個角落。

「請在這裡稍候。你們的名字是？」小侍女問。

「我是桃樂絲，來自堪薩斯。這位機械人先生叫小滴答，而這隻黃母雞是我的朋友比麗娜。」

「好的，我現在去通知公主。」小侍女鞠了一躬，轉身走了出去。

在朗威德公主的房間裡，不但四面裝滿了大鏡子，連地板和天花板都是鏡。不論坐著、站著、躺著還是踱步，身姿都會映照在鏡子中，朗威德公主從任何角度都可以欣賞到自己的美貌，這是她最大的愛好。

小侍女進入房間時，朗威德公主正在自言自語：「這個長著紅褐色頭髮和淡褐色眼睛的頭挺迷人的，我要多戴著它，雖然它算不上是我收藏品中最好的一個。」

「尊敬的公主，你有客人到訪。」小侍女鞠躬道。

「是誰？」

「堪薩斯的桃樂絲，還有小滴答先生和比麗娜。」

「一堆奇怪的名字。」朗威德公主只關心一件事：「他們長得怎麼樣？好看嗎？」

「嗯，那個叫桃樂絲的女孩還可以。」小侍女回答道。

朗威德公主隨即皺了一下眉，「如果她很漂亮的話，我得小心不能給她比下去。我要去櫃子那裡換上十七號頭，那可是我最漂亮的一個頭。」

朗威德公主一共有三十個可替換的頭，每一個頭都有自己獨立的櫥櫃，櫃子內襯著華美的天鵝絨。三十個櫥櫃整齊排列，而且每個櫃都刻有金色的數字。

一般人的衣櫥是放可替換的衣服，但朗威德公主不滿足於只用衣服來裝飾自己，她還要隨意更換自己的頭。

那三十個頭各有特色，有著不同的髮型、各種顏色的眼睛、不同韻味的鼻子、各樣形態的嘴巴。

所有櫥櫃都用同一把紅寶石鑰匙來開啟，朗威德公主把它戴在手鏈上。

朗威德公主來到第十七號櫥櫃前，用她的紅寶石鑰匙打開櫃門，然後摘下身上的九號頭，遞給身旁的南達，再從櫃裡拿了十七號頭戴在脖子上。

十七號頭漂亮極了，烏黑閃亮的頭髮和眼睛，膚色白玉無瑕，朗威德公主一戴上這個頭，立即艷光四射。

不過，十七號頭有一個問題，就是脾氣不好，朗威德公主每次戴上它就會變得暴躁、殘酷和傲慢。

她戴著心愛的十七號頭，興致勃勃地去會客廳見訪客，可是一看到穿著平凡的桃樂絲、肚子圓滾滾的銅人和一隻顯然沒受過教育的黃色母雞，不禁失望道：「唉，我還以為是什麼重要人物呢！」

「朗威德公主你好，我雖然不是什麼重要人物，但我們有非常重要的事情想請你幫忙。」桃樂絲說：「我來自堪薩斯，在坐船前往澳洲的途中遇到了風暴，與黃母雞意外漂流到這裡來，你知道我們該怎樣從這裡回去澳洲，或者堪薩斯嗎？」

朗威德公主不耐煩地打了個呵欠，「什麼鄉下地方？沒聽過。」

桃樂絲又問：「那麼奧茲國呢？我在那裡有很多朋友，只要我能到奧茲國去，說不定就有方法回家。」

朗威德公主沒有回答，只是盯著桃樂絲的頭，細細地看。

「你盯著我幹什麼？」桃樂絲疑惑道。

朗威德公主傲慢地說：「你長得還可以，不是很美，但有一種獨特的韻味，是我那三十個頭所沒有的。所以我決定，你這個頭我要了，就編為二十六號吧！」

桃樂絲大驚，雙手緊抓著自己的頭……

「你放心。」朗威德公主說：「你不會沒有頭，我拿原本的二十六號頭跟你換，我不太喜歡那個頭，很少戴著它，所以你會發現它還九成新呢。」

「不！」桃樂絲堅定地說：「我很滿意自己的頭，我不會跟人換！」

「你拒絕我？」朗威德公主皺著眉問。

「當然拒絕了。」桃樂絲說。

「那麼，我就把你鎖進高塔去，直到你答應為止！」朗威德公主搖了搖一個銀鈴，一個胖上校便帶著幾名士兵衝了進來，要抓住桃樂絲。

「別怕！我來保護你！」小滴答揚起手裡的晚餐桶，正要擊向胖上校的頭部，胖上校害怕得閉上了眼睛，可是小滴答的動作突然止住，「噢！我的行動發條鬆了！」

胖上校鬆了一口氣，立刻與士兵合力抓住了桃樂絲。

朗威德公主吩咐道：「把她鎖進北塔去。這個機械人就當作銅像放在這裡。而那隻雞……先抓到雞舍裡去吧，看哪天心情好就炸來吃。」

桃樂絲和比麗娜聞言慘叫：「不要啊！」

第4章 來自奧茲國的救兵

桃樂絲被囚禁在一座高塔上，晚餐只有麵包和水，整夜睡在石床上。

第二天早晨醒來，她走到唯一一扇窗子前面，曬著太陽，往外張望。

她扭頭望向東面，看到一片茂密的森林，連接著遠處的沙灘和海洋，桃樂絲就是從那裡漂流到來的。

然後她望向正北面，有一條幽深狹長的山谷，山谷的盡頭又有另一座大山，截斷了對外的通道。

她轉頭望向西面，看到埃弗國肥沃的土地外面，是一片一望無際的沙漠。桃樂絲心裡想，就是這片沙漠把埃弗國和奧茲國分隔開來的嗎？那麼只要越過沙漠，就可以見到她的老朋友了，他們還記得桃樂絲嗎？

一想到這裡，桃樂絲突然驚叫了一聲，雙手捧著自己的頭顱說：「糟了！朗威德公主昨晚會不會趁我睡著的時候，已經把我的頭換掉？」

囚室裡沒有鏡子，桃樂絲不斷摸著自己的頭，無法確認這個頭還是不是自己的。

就在她惴惴不安的時候，突然看到沙漠上有一點綠色的東西，正向著埃弗國移動過來。

「那是什麼？」桃樂絲很驚詫。

過了一會兒，那東西愈來愈接近了，桃樂絲才看清那原來是一條十分寬大的綠色地毯，在沙漠上迅速鋪開，一列隊伍在上面奔跑趕路。

隊伍最前面的是一輛敞篷雙輪馬車，但拉車

的不是馬，而是一頭獅子和一隻老虎，那頭獅子更是桃樂絲認識的膽小獅。馬車上站著一個漂亮女孩，穿著一襲飄逸的銀色紗裙，頭戴寶石王冠，一隻手握著韁繩，另一隻手拿著一根象牙權杖，權杖頂端用鑽石鑲著代表奧茲國的「O」和「Z」兩個字母。

女孩的身高和年紀與桃樂絲差不多，桃樂絲知道，這個人一定就是奧茲國的新君主——奧茲瑪女王了。

在馬車後面，桃樂絲還驚喜地看到了她的老朋友稻草人，他正騎著一匹馬前行，但那也不是一匹真馬，而是木匠用的鋸木馬，可是卻像活馬一樣在奔跑著。

緊隨稻草人之後，還有桃樂絲的另一個朋友鐵皮人，戴著一頂漏斗形帽子，拿著斧頭，全身閃著明亮的光澤。

鐵皮人沒有坐騎，一路步行，還帶領著一支由二十七個戰士組成的軍隊。

那條綠色的毯子簡直是魔法毯子，前端能無窮地展開，而後端卻以相同的速度自動捲起來。

很快，整個隊伍已跨過了沙漠，來到埃弗國的國土，他們腳下的魔毯亦隨即自動收起來。

桃樂絲看到隊伍朝皇宮走來，立即拚命地揮

手大叫：「看這邊！我是桃樂絲！」

隊伍經過高塔時，稻草人聽到桃樂絲的叫聲，抬頭看去。

「我是桃樂絲，你認得我嗎？」桃樂絲大叫。

「噢！」稻草人驚喜萬分，「當然認得，我的好朋友桃樂絲！你為什麼會在高塔上面？」

桃樂絲鬆了一口氣，因為這證明她的頭還未被朗威德公主換去。她答道：「朗威德公主把我囚禁在這裡，因為我不肯把我的頭給她，去換一個她用過的舊頭。」

「別怕，我們正是要來找朗威德公主的。」稻草人說：「等一下我會在朗威德公主面前，把你的頭批評得一文不值，讓她打消換頭的念頭，將你釋放。」

「沒有別的方法了嗎？」桃樂絲苦笑道。

但稻草人已經跟著隊伍進入皇宮去。

朗威德公主又換上十七號頭來見訪客，這次訪客是重要人物了，因為對方是奧茲國的奧茲瑪女王，而且帶著大隊人馬來訪，十分隆重。

「這樣的訪客才夠分量！」朗威德公主心裡高興，可是也不敢鬆懈，不能讓自己的美貌輸給對方。

互相介紹過之後，奧茲瑪道明來意：「我們這次來，是想幫你把埃弗國的皇室成員從諾姆國王那裡救出來，因為我聽說，他囚禁了埃弗國的王后和她的十個孩子。」

朗威德公主難得沒有發怒，急切地說：「我真的希望你能把他們救出來，現在我每天都要花十分鐘時間處理國家事務，實在太煩人了！」

這時稻草人開口請求：「朗威德公主，希望你能把高塔上那個女孩放出來。我會告訴你，她的頭有什麼不好。」

稻草人接著說了一大堆桃樂絲那個頭的缺點，朗威德公主露出嫌惡的眼神，立刻命南達去把桃樂絲放了，奧茲瑪也跟著去。

等待桃樂絲獲釋的期間，稻草人靠在一尊銅像上，沒想到銅像竟然會說話：「你踩住了我的腳。」

「噢，對不起！」稻草人立刻站直了身體，「你是活的？」

「不是。我只是個機械人，名叫小滴答。如果有人幫我上緊發條的話，我就能像人一樣思考、說話和活動了。現在我的行動發條鬆掉了，所以只剩下思考和說話，不能活動，而上發條的鑰匙在桃樂絲那裡。」

「桃樂絲很快就能出來了，到時她會幫你上好發條。」稻草人好奇地問：「你說你能思考，難道你也有大腦？」

「當然有。我的頭部安裝了『史密斯與丁克』發明的改良型混合鋼大腦。你的大腦又是什

麼類型？」

「我不知道。」稻草人回答道：「我的大腦是奧茲大法師送給我的，運作得非常不錯呢！啊，對了，我的朋友跟你有點像，他全身都是鐵皮，我給你介紹——鐵皮人。」

鐵皮人熱情地與小滴答握手，「幸會。你有心臟嗎？奧茲大法師給了我一顆無與倫比的心，使我能感受到一切情感，而且時刻都感覺到心臟充滿活力地跳動著。」

小滴答平淡地說：「恭喜你，但我沒有心。」

就在這時，奧茲瑪帶著桃樂絲回來了，兩人還牽著手，有一見如故的感覺。

桃樂絲第一時間與三位老朋友相擁，互相問候。

然後她掏出發條鑰匙，替小滴答上緊了行動發條，並為各人互相介紹。

但膽小獅居然對機械人有點畏懼，桃樂絲感到奇怪，「膽小獅，為什麼你又變得和以前一樣膽小？」

膽小獅慨嘆道：「我喝下奧茲大法師給我的『勇氣之泉』，已過了很長日子了，感覺效力已經完全消散，不像稻草人和鐵皮人那樣，他們得到了永久的大腦和心。但先不說這個，我來給你介紹我的新朋友，這是飢餓虎。」

「你好！」老虎一張開口就露出兩排駭人的牙齒，嚇了桃樂絲一跳。

「你……不會吃人吧？」桃樂絲問。

「坦白說，我很餓。我心裡非常想把你吃掉。」老虎的肚子在咕嚕地響，「但請你放心，我是一頭有良知的老虎，堅持不作壞事，不會主動殺生，我只會吃已死的動物。也因為這個原因，所以我經常感到肚餓。」

「你真是一頭好老虎。」桃樂絲輕輕地拍了拍牠的頭。

可是飢餓虎說:「不過，如果你不幸死了的話，我很可能會把你吃掉的。」

桃樂絲的臉容立時僵住。

這時候，突然傳來一陣咯咯的驚叫聲，比麗娜衝了進來。

「比麗娜，你沒事吧？」桃樂絲問。

只見比麗娜身上沾滿了胡椒粉、辣椒粉、麵包糠，苦著臉說:「他們說有貴賓來訪，所以打算把我炸了給客人吃，幸好我從廚房裡逃脫了。」

桃樂絲向朗威德公主投訴:「牠是我的朋友，你不能把牠煮來吃！」

朗威德公主聳聳肩，只顧撥弄頭髮。

比麗娜拚命地拍翅膀，將身上的調味料抖乾淨，而桃樂絲則把牠介紹給老朋友。

「很高興認識桃樂絲的任何朋友。」膽小獅、稻草人和鐵皮人都顯得很熱情。

只是飢餓虎流著口水，有點迷惘道：「你差點就成為炸雞了，我既替你脫險感到高興，也為自己沒炸雞吃而感到失望。」

比麗娜嚇得連忙張開翅膀，裝腔作勢，「你別過來啊！別以為我好欺負！」

這時奧茲瑪女王說：「大家別鬧了。我們盡快舉行會議，討論怎樣把埃弗國的皇室成員救出來吧。」

會議開始，鐵皮人第一個發言：「首先，聽說埃弗國的王后和十個孩子被囚禁在諾姆國王的地下宮殿裡，奧茲瑪女王希望能幫埃弗國救出那些皇室成員，於是想盡辦法穿越兩國之間的沙漠。好女巫葛琳達給了我們一張魔毯後，奧茲瑪女王就命令我集結好軍隊，準備與諾姆國王戰鬥。」

這時小滴答有疑問：「為什麼要去攻打諾姆國王？做錯事的是埃弗多國王，是他把家人賣給諾姆國王的，不過他已經墮海身亡了。」

「噢，我還以為一切的罪魁禍首都是諾姆國王呢。」奧茲瑪說。

「我叔叔埃弗多是為了得到長生，所以把自己的家人賣給諾姆國王作交換的。」朗威德公主講解道。

奧茲瑪恍然大悟，「他現在死了，證明沒有得到長生。諾姆國王騙了他，所以必須交還那些皇室成員！他們被關在什麼地方呢？」

朗威德公主回答：「諾姆國王擁有一座富麗堂皇的地下宮殿，就在埃弗國北部山脈之下。他用魔法把王后和孩子們變成了宮殿的裝飾品。」

「這個諾姆國王是什麼人？」桃樂絲好奇地問。

奧茲瑪告訴她：「他被稱為岩石之王羅克特，是地下世界的統治者，統領著數萬名諾姆。諾姆是一群長相古怪的精靈，日夜對著熔爐工作，打造珍貴金屬，藏在岩石之中。由於人類經常採礦，這位地下世界統治者很仇視我們，所以這次行動將會非常危險。」

「為了那些可憐的受害者，我們應該冒險去一趟。」桃樂絲充滿勇氣。

「對。」稻草人說：「雖然那些熔爐隨時會把我燒成灰燼，但我還是要去！」

「熔爐的熱力也可能將我身上的鐵皮熔化，但是熔不掉我的正義之心，我也要去。」鐵皮人正氣凜然。

朗威德公主卻懶洋洋地打著呵欠，「我一點兒熱都受不了，就留在這裡好了。祝你們成功。」

沒有人在乎她去不去，反而將目光放到小滴答身上。

小滴答說：「我是桃樂絲的僕人，她去哪兒我就去哪兒。」

桃樂絲立即說：「我當然要和我的朋友們一起去。比麗娜，你也去嗎？」

「地底一定有很多肥美的蟲子了。」比麗娜已流著口水。

但飢餓虎的口水流得比牠還厲害，「假如你不小心碰到熔爐，就會變成烤雞。」

「別胡說了！」奧茲瑪嚴肅道：「我們一定會安全完成任務的，明天天一亮我們就出發！」

晚上，他們在皇宮裡享用大餐，稻草人和鐵皮人把奧茲國在桃樂絲離開後所發生的事，簡略敘述了一遍：奧茲瑪是奧茲國前國王的女兒，失蹤多時，原來落入了一個老巫婆手裡。後來她逃脫了，還拿了老巫婆的生命魔粉，製造了一個長著南瓜頭的人，並給一匹鋸木馬賦予了生命。稻草人和鐵皮人知道奧茲瑪的身份後，合力平定了奧茲國的叛亂，讓奧茲瑪繼承了父親的王位。那時膽小獅仍是森林之王，對奧茲瑪一無所知，直到聽說稻草人和鐵皮人要跟隨奧茲瑪女王去營救埃弗國的王后和孩子，膽小獅就主動加入，並叫上了他的朋友飢餓虎。

晚上得到充足的休息後，第二天一早，他們就浩浩蕩蕩地出發了。

領頭的是奧茲瑪，她坐在金色雙輪馬車裡，旁邊是抱著比麗娜的桃樂絲。稻草人騎著鋸木馬跟在馬車後面，接著是並肩而行的鐵皮人和小滴答，而其餘二十七人大軍則殿後，一同朝著北部的大山進發。

趕路的途中，比麗娜突然大叫一聲：「等一下！」

奧茲瑪急忙煞停馬車，後面的人猝不及防，一個個像骨牌那樣撞了上去。

只見比麗娜從桃樂絲的懷裡掙脫出來，飛到路邊的灌木叢去。

「出什麼事了？」鐵皮人問。

「沒什麼事，比麗娜只不過想下蛋。」桃樂絲說。

眾人目瞪口呆，桃樂絲解釋道：「下蛋是牠的天性，每天都準時下蛋，然後咯咯地叫。」

話音剛落，比麗娜就從灌木叢裡走了出來，嘴裡叫著：「咯咯咯……」

比麗娜回到桃樂絲的懷裡，奧茲瑪立刻喊道：「好了，繼續前進吧！」

但比麗娜突然又叫住：「等等！沒有人去撿我下的蛋嗎？」

「我去。」稻草人不想拖延時間，匆匆走進灌木叢，撿了比麗娜剛下的那隻雞蛋，隨手放進外套的口袋裡，再騎著鋸木馬追上大隊。

走過一大段路程後，他們終於到達了北部的山脈，相信諾姆國王的地下王國就在這裡的地底，只是不知道入口在哪裡。

突然，山中傳來一陣詭異的嬉笑聲。

「是誰在笑？」桃樂絲嚇得退後了兩步。

只見岩石表面有一些奇怪的影子掠過，不知道是什麼生物，看上去和岩石差不多。

「不用怕，他們是諾姆，就是岩石精靈，受諾姆國王支配。」小滴答說：「若想進入地下宮殿，我們必須敲門打招呼。」

奧茲瑪女王有點迷茫，「可是我連門在哪裡都不知道。」

小滴答告訴她：「這些諾姆就是媒介。」

那些諾姆突然一個緊貼著一個，延伸到奧茲瑪和桃樂絲面前。

「敲門打招呼吧。」小滴答說。

奧茲瑪伸出手，敲了兩下最靠近她的那個諾姆，然後說：「你好，我是奧茲國的君主奧茲瑪女王，懇求與諾姆國王見面，有要事商討。」

那些諾姆的身體微微顫動，好像把聲音傳進地底去一樣。沒多久，諾姆們突然四散消失，接著山中傳來一聲低吼：「進來！」

岩石上隨即打開了一扇門，奧茲瑪和各人交換了一下眼神，便率領著大家走進去。

他們穿過石門，沿著一條長長的通道行走，兩旁的石牆上嵌著無數的珍寶和一盞盞照明的燈，一直來到一個圓頂的洞穴大廳之中。

這個洞穴大廳裝飾得富麗堂皇，正中有一個用巨石雕成的寶座，每一面都鑲嵌著閃閃發光的紅寶石、鑽石和翡翠。坐在寶座上面的，自然就是諾姆國王了。

這位地下世界的王者，身形矮胖，穿著一套棕灰色的衣服，與他的巨石寶座顏色一模一樣，甚至連濃密的頭髮、鬍鬚以及他的臉都是同樣的棕灰色。他沒有戴任何皇冠，身上唯一的裝飾是一條鑲滿珠寶的寬腰帶，繫在他圓滾滾的肚子上。

「天啊，他長得真像聖誕老人，只是顏色不同而已！」桃樂絲衝口而出。

諾姆國王聽到了，放聲大笑，還唱起歌來：「他有一張紅通通的臉，圓滾滾的肚子，當他一笑，肚子就像果凍一樣晃來晃去！」

伴隨著諾姆國王爽朗的笑聲，他的肚皮真的像果凍那樣晃起來。

在一片歡笑聲中，諾姆國王突然嚴肅地問：「你們來找我幹什麼？」

奧茲瑪連忙收起笑容，認真地說：「陛下，我是奧茲國的統治者奧茲瑪，來這裡是請求你釋放埃弗國的王后和她的十個孩子。」

「埃弗多國王為了得到長生，把家人賣給我，所以他們是屬於我的。」諾姆國王說得理直氣壯。

「可是你欺騙了他啊。」桃樂絲說：「埃弗多國王根本就沒有得到長生，他跳進大海淹死了。」

「那不是我的錯，我給了他長生，只是他自己毀掉了。」

「詭辯！既然毀掉了，又怎麼算是長生？」奧茲瑪說：「況且，王后和那些孩子是無辜的，埃弗多國王根本沒權利把他們賣給你。他們太可憐了，求你釋放他們吧。」

「誰說他們可憐？」諾姆國王現出訝異的神情，「他們一點都不可憐。我把他們變成了各種裝飾品和小擺設，為我的宮殿作點綴，這是他們莫大的光榮呢。」

「如果你肯放了他們，我可以給你十倍的裝飾品作補償。」奧茲瑪利誘道。

「如果我拒絕呢？」諾姆國王的臉色變得陰沉。

「那就別怪我們不客氣了！」奧茲瑪也強硬起來。

諾姆國王聽了忍不住大笑，笑了好一會才說：「在你們決定『不客氣』之前，我先帶你們參觀一下我的地下王國。」

他站起來，走到一扇小門前面，打開了門，然後揚手叫奧茲瑪等人跟他一起走到外面的陽台去。在那裡，他們可以清楚看到整個地下世界的景象。

一個寬闊無比的洞穴往地下延伸，深不見底。無數個大大小小的熔爐遍布各處，諾姆們不斷揮舞著錘子，打造珍貴的金屬。

洞穴的牆壁上，有著一扇扇金或銀製成的門，諾姆國王吹了一聲口哨，那些金門銀門迅即打開，強壯的諾姆士兵從各扇門裡擁了出來，個個穿著寶石盔甲，額頭上戴著電燈，舉起手中鋒利的長矛、刀劍或戰斧，在耀武揚威。

「這只不過是我龐大軍隊的一小部分而已。」諾姆國王神氣地說。

「參觀」完後，他們又回到大廳，奧茲瑪明白到不宜硬碰，便說：「諾姆國王，我們做朋友吧。我要怎麼做，你才願意放走那十一個人？」

諾姆國王認真地想了一會，好像想到了什麼有趣的玩兒，笑著問：「為了這件事，你願意冒險嗎？」

奧茲瑪救人心切，想也不想就說：「我願意！」

「好。」諾姆國王興奮道：「那麼我們來一場遊戲，你們可以逐一進入我的宮殿，瀏覽裡面的東西，猜測哪些是由埃弗國皇室成員變成的。只要觸摸那件東西唸出「埃弗」，如果猜中了，他就會立即回復原形，可以跟你離開。你們每人有十一次猜測的機會。」

「真的？」桃樂絲聽了之後很樂觀，「我們有這麼多人，每人猜十一次，一定能把那十一個皇室成員猜出來。」

「不過——」原來諾姆國王還沒說完，他補充了一個條件：「如果連續十一次都猜錯，你就會變成裝飾品，留在宮殿內。」

所有人都呆住了，但奧茲瑪仍然答應道：「好。」

桃樂絲立時勸她：「別衝動，萬一你猜錯了，就會變成裝飾品。」

奧茲瑪說：「正如你所講，我有十一次機會，而且我們加起來有超過三十個人——」

話未說完，諾姆國王已跳下寶座，催促道：「別婆婆媽媽了，要不要玩這個遊戲？玩的話，就從這裡進去！」他走到一面牆壁前，揮了一下手，牆上立刻打開了一個入口。

「好！大家等我的好消息！」奧茲瑪下定決心，向同伴揮了一下手，便勇敢地走了進去。

她穿過大門，來到了一個金碧輝煌的宮殿，有著高高的拱形屋頂，五彩繽紛的大理石牆壁和地板，厚厚的天鵝絨地毯通向各個房間，每個房間都擺放著各種稀有古木雕成的家具，上面還鋪著美麗的綢緞。

宮殿裡沒有其他人，只有奧茲瑪一個人在瀏覽著。她發現宮殿裡擺滿了數不清的裝飾品，有雕像、花瓶、盤子、碗子、畫作、家具等等，琳琅滿目，簡直像博物館一樣。

快速瀏覽過後，奧茲瑪心裡暗呼不妙，她沒想過宮殿原來這樣大，裝飾擺設竟有這麼多。

她留意到一個有著十根支柱的銀燭台，心裡想：「這個很可能就是埃弗國王后與她的十個孩子。」於是伸手觸摸燭台，大聲唸：「埃弗！」

可是燭台依舊，沒有發生任何變化。

奧茲瑪知道自己猜錯了，便去其他的房間，摸了一些陶瓷、一些玻璃擺設、一些珠寶等等，一次又一次唸出「埃弗」這個咒語，但整整十次都沒有猜對。

當她最後一次都猜錯之後，她的身體瞬間變成了一隻翡翠蚱蜢，成為宮殿裡最新的一件裝飾品。

第7章 猜測遊戲

在洞穴大廳裡，諾姆國王突然開心地仰起頭說：「哈哈，下一個！」

「她失敗了嗎？」桃樂絲驚訝地問。

「當然了。」諾姆國王心情愉快，「但這不代表你們也會失敗。下一位可以連續猜十二次，因為現在有十二個人變成了裝飾品。好了，下一位是誰？」

「我去。」桃樂絲說。

「不行。」鐵皮人挺身而出，「身為奧茲國軍隊的總指揮，追隨和拯救女王是我的職責所在。」

「你千萬要小心啊！」稻草人提醒道。

鐵皮人拍了一下胸口，來到宮殿的入口，勇敢地走進去：

各人又在大廳裡默默等待著結果，一想到奧茲瑪女王變成了一件裝飾品，被關在諾姆國王的宮殿內，大家就感到非常沮喪和傷心。

當然，諾姆國王除外，沒多久，他又放聲大笑起來：「哈哈哈！他——他！呵呵！」

「怎麼了？」稻草人問。

「你的朋友，已經變成了最滑稽的東西，你肯定想像不出來。哈哈……」諾姆國王笑得流眼淚，「下一個！」

大家都很傷心，尤其是稻草人，他與鐵皮人的感情十分深厚。

那二十七個戰士要去拯救他們的指揮官，於是逐一進去宮殿。

在此期間，諾姆國王命人準備茶點，一個健壯的諾姆捧著大盤食物走進來，他的脖子上戴著一條沉甸甸的金鏈，原來那是大總管的象徵。他看起來地位頗高，甚至敢提醒諾姆國王不要在深夜吃太多蛋糕，要注意健康。

不過，餓得發慌的桃樂絲卻不管那麼多，一連吃了好幾件美味的蛋糕，又喝了一杯可口的黏土咖啡。

稻草人、鋸木馬和機械人小滴答當然不用吃東西，但膽小獅、飢餓虎和其他等待著進入宮殿的戰士則狼吞虎嚥，拚命地吃。

比麗娜在洞穴的岩石縫裡找到不少新鮮的蟲子，愉快地啄食著。牠找蟲子的時候，發現諾姆國王的巨石寶座下面有一個洞，由於吃飽了睏得要命，加上已到了牠習慣就寢的時間，於是偷偷地鑽進那個洞去睡覺，沒有人注意到牠。

諾姆國王每隔一會就召喚：「下一個！」

二十七個戰士一個接一個進入宮殿，也一個接一個失敗，先後變成了二十七件裝飾品，留在宮殿中。

「現在已經很晚了。」諾姆國王說：「雖然我的王國看不見陽光，沒有晝夜之分，但我們也需要睡覺。所以，今天的遊戲就到此為止，明天繼續。」

諾姆國王拍了拍手，吩咐大總管帶客人到睡房休息。

他們每人獲分配一間簡單而舒適的睡房，儘管他們當中有些成員根本不用睡覺。

桃樂絲躺在床上忽然想起了黃母雞，「比麗娜呢？牠應該也分配到一個房間吧？」但她實在太睏倦了，想著想著就進入了夢鄉。

這時大總管已回到了大廳，對諾姆國王進言：「陛下，你居然和他們玩遊戲，實在是太愚蠢了！」

「什麼？你竟敢說我蠢！」諾姆國王的怒吼聲

驚醒了睡在寶座下面的比麗娜。

「我只是直話直説。」大總管問：「你為什麼不直接施魔法對付他們，而要慢慢和他們玩遊戲？」

「我説你才是蠢，而且非常無趣！」諾姆國王説：「難得有人到地下世界來給我們消遣，太快結束就沒有意思了，當然要慢慢地玩，盡情享受。」

「可是萬一他們碰巧猜對了怎麼辦？」

「哈哈，他們不可能猜對的。」諾姆國王胸有成竹，「他們怎麼可能知道埃弗國的皇室成員都是紫色的裝飾品呢？」

「這不是很易猜嗎？宮殿裡又沒有其他紫色的裝飾品。而你還把所有來自奧茲國的人變成綠色的裝飾品，這樣太冒險了！」大總管説。

「你懂什麼！我把他們變成綠色，是因為他們都是從奧茲國首都翡翠城來的。況且我原本一個綠色裝飾品都沒有，現在正好填補這個空缺。」

躲在寶座下的比麗娜聽到了他們的秘密，不禁暗自竊喜。

諾姆國王又說：「你少擔心。我近來看了不少關於心理學的書，事前已經將宮殿裡所有裝飾品的擺放位置作出精心編排，故意引導他們作出錯誤的猜測，所以他們無論如何也不會選擇紫色和綠色的東西。」

大總管嘆了一口氣，只好扶著諾姆國王離開大廳，回寢宮休息去。

第二天早上，所有人吃過早餐後，緊張刺激的猜測遊戲又繼續進行了。

桃樂絲迫不及待要進入宮殿去猜測，但小滴答堅持自己身為僕人，應該先替主人上陣。諾姆國王於是為小滴答打開了宮殿大門，讓他成為今天第一個冒險者。

小滴答進入宮殿後，諾姆國王回到寶座上，一直眉開眼笑，好像知道宮殿裡的情況一樣。

桃樂絲忍不住問：「你真的知道小滴答在裡面的情況嗎？」

「當然。」諾姆國王神氣地說。

「那麼他現在在做什麼？」桃樂絲問。

「哈哈，他不斷地猜錯，這個機械人不是聲稱自己能思考的嗎？看來是個失敗的產品。」諾姆國王哈哈大笑，但突然皺起眉頭，「咦，不過他現在一動也不動，呆呆地站在那裡很久。」

「噢，他一定是發條鬆了。他猜了多少次？」桃樂絲問。

「只剩下最後一次。」諾姆國王說：「要不你進去幫他上發條吧，然後你可以待在裡面，開始你的猜測。」

「好。」桃樂絲勇敢地走進宮殿。

她看到宮殿裡非常富麗堂皇，找了好幾個房間，終於找到了小滴答，連忙幫他上緊了所有發條。

「謝謝你，桃樂絲。我還有一次猜測的機

會。」

「嗯，你千萬要小心。」桃樂絲說。

「不怕。假如我失敗了，你也會立刻看到我變成了什麼裝飾品，到時你把我猜對了，我能回復原形，你也不用變成裝飾品了。」

「對啊，你思考能力真強！」桃樂絲喜出望外。

小滴答打量了一下四周，便伸手觸摸一個黃色的花瓶，同時唸出：「埃弗！」

怎料一眨眼的工夫，小滴答就消失不見了。桃樂絲本來已經火眼金睛地盯著，卻依然看不清小滴答變成了什麼，房間裡一大堆的裝飾品令人眼花繚亂。

桃樂絲要開始猜測了，在眼前一大堆裝飾品

當中，有一隻雪花石膏碗特別吸引她的注意，於是將手放在碗上，喊道：「埃弗！」

石膏碗文風不動，桃樂絲知道自己猜錯一次了，不禁有點失望，只好在宮殿裡四處瀏覽，細心觀察，希望下一次能作出正確的選擇。

來到其中一個房間，雖然茶几上有一隻紫色的貓咪擺設，卻完全引不起桃樂絲的注意。她反而被一朵紅色的玻璃玫瑰所吸引，彎身摸向玫瑰，並喊出「埃弗」這個咒語時，她的屁股卻不小心碰跌了那個紫色貓咪。

眼看貓咪擺設將會摔個粉碎之際，紫色貓咪卻忽然變成了一個金髮男孩，跌坐在地上，叫了一聲：「哎喲！」

與此同時，不知道哪裡響了一下鈴聲。

桃樂絲既驚又喜，扶起了那男孩，「你沒事吧？」

小男孩很迷茫：「我在什麼地方？你是誰？發生什麼事了？」

桃樂絲驚喜道：「我終於猜對了！啊不，不是猜對，只是我唸咒語時，幸運地碰到了那個紫色貓咪！」

「紫色貓咪？」小男孩很疑惑。

「你完全不記得自己變成紫色貓咪的事嗎？」

「我怎麼可能是貓咪，我是埃弗國的一個王子，名叫埃弗榮。」小男孩抓著頭，「我只記得父王把母后和我們賣給了殘忍的諾姆國王，之後的事我就不太記得了。」

「不要緊，現在你已經沒事了。而我會試著去解救你的兄弟姐妹，當然還有你們的母后，跟我一起來吧！」桃樂絲牽著小男孩的手，在宮殿裡又瀏覽了一次，還問小男孩的意見。

桃樂絲試圖再接再厲，希望能猜中其他的受害者。可是運氣沒有延續下去，她一次又一次猜錯，很快就用完了所有機會。

雖然有點失望，但可以救出其中一個人，而且自己也不用變成裝飾品，已經算是不太差的結果了。

桃樂絲帶著金髮小王子來到宮殿的入口，巨大的石門便自動打開，讓他們回到大廳去。

先說一下大廳的情形，桃樂絲走入宮殿進行「猜測遊戲」後，諾姆國王滿心歡喜地等待著桃樂絲變成裝飾品，沒多久就笑道：「好極了！那個機械人上了發條後，馬上猜錯，變成一件裝飾品。哈哈。」

「那桃樂絲怎麼樣？」稻草人緊張地問。

「她很快就開始猜測了。」諾姆國王興奮道：「等她也變成裝飾品之後，下一個就輪到你。」

這時候，突然有一陣刺耳的叫聲從他的寶座下面響起：「咯咯咯噠！咯咯咯噠！」

諾姆國王嚇了一大跳，「什麼聲音？」

「噢，是比麗娜。」稻草人說。

比麗娜從寶座下面鑽出來，趾高氣揚地說，「我剛剛下了一隻蛋。」

「什麼？下蛋！」諾姆國王大驚失色，「你竟敢在我的王國內下蛋？」

「我習慣每天這個時候下一隻蛋，不管在什麼地方。」比麗娜一邊說，還一邊做早操。

「豈有此理！你不知道雞蛋有毒嗎？」諾姆國王驚恐地咆哮，「雞蛋是屬於外面世界的東西，在我的地下王國裡，它是劇毒，我們諾姆不能接近雞蛋。你還不趕快把雞蛋拿走！」

比麗娜聳聳肩說：「不行啊，我又沒有手。」

「我來拿吧，反正我也收藏了比麗娜一隻蛋，是牠昨天下的。」稻草人伸手到寶座底下，摸到了雞蛋，把它拿出來，放到外套的另一個口袋裡。

就在這時，突然響起一陣清脆的鈴聲，諾姆國王隨即驚訝地叫道：「哎呀！她竟然猜對了！不可能的！」

「你說桃樂絲猜對了？」稻草人喜出望外。

「她猜對了一次。」諾姆國王咬著牙，「可惡！

她是怎麼猜中的？」

稻草人眉開眼笑，「太好了，她至少能安全回來，不用變成裝飾品。」

諾姆國王卻煩躁不安地在大廳裡來回踱步，擔心桃樂絲會不會再接再厲，繼續猜中。

可惜桃樂絲只是憑運氣猜中了一次，餘下的全部猜錯之後，石門打開，桃樂絲牽著小王子埃弗縈的手回到大廳來。

「桃樂絲，你太棒了！」稻草人給她一個緊緊的擁抱，也摸了一下小王子的頭。

諾姆國王憤慨地立即催促稻草人：「別幹無謂的事，輪到你了！」

「我一定不會令大家失望的。我要運用奧茲大法師給我的這個頭腦，把所有人都猜中，拯救出來！」稻草人自信十足地走進宮殿去。

然而，結果卻很令人失望，他花了很長的時間去猜測，可是一個都沒有猜中，自己變成了裝飾品。

諾姆國王的心情又好過來了，滿意地說：「我又多了一件漂亮的裝飾品呢。」

「現在輪到我了。」比麗娜說。

「你也要玩這遊戲嗎？好啊！」諾姆國王對此很歡迎，覺得這隻笨雞不可能會猜中，正好把牠變成裝飾品，以懲戒牠胡亂下蛋的「罪行」！

「比麗娜，不要去。」桃樂絲擔心道：「猜中那些裝飾品並沒有那麼容易，我猜中這一個也全憑運氣。連稻草人有著奧茲大法師給他的頭腦也猜不中，你不要白白犧牲啊。」

膽小獅附和：「對啊，我也不敢去猜，太可怕了。」

飢餓虎則說：「我怕自己還沒猜完，就已經餓死在裡面。」

鋸木馬：「而我全身都是木頭，一定會不小心把那些裝飾品摔破的。」

但比麗娜一臉高傲地說：「別小看我，雖然我只是一隻可愛的小雞，但智慧絕對不比你們任何一個低。」

桃樂絲點了點頭，「我明白了，你萬事要小心，祝你成功。」

「你們放心吧！」比麗娜趾高氣揚地走進宮殿，參與猜測遊戲。

牠慢慢地把整個地下宮殿瀏覽了一遍，找出所有紫色和綠色的裝飾品，因為牠昨晚已偷聽了諾姆國王的秘密，知道埃弗國的皇室成員都變成了紫色的裝飾品，而來自奧茲國的人則變成綠色。

比麗娜點算了紫色的裝飾品，一共只有十件，剛好就是王后與其餘九個孩子。比麗娜首先用爪子觸碰一張紫色的凳子，喊道：「埃弗！」

轉眼間，凳子消失了，一位穿著華麗長袍、身材高挑的女人站在比麗娜面前。

比麗娜向對方敬禮並自我介紹：「你好，我叫比麗娜。你一定是埃弗國的王后了。」

「到底發生什麼事？」王后顯然不記得自己被諾姆國王變成裝飾品的經過。

比麗娜簡單解釋過後，王后雙手緊扣著

說：「謝謝你的救命之恩。懇求你把我的孩子也拯救出來。」

「別擔心，其中一位小王子已經給救出了。至於其他的公主王子，我知道他們在哪裡。」比麗娜邊說邊走。

「真的？」王后連忙跟著牠。

比麗娜帶著王后去看一件又一件的紫色裝飾品，觸碰它們並喊一聲「埃弗」，紫色裝飾品便逐一變回原形——埃弗國的公主王子們。

他們都是漂亮可愛的金髮孩子，公主的名字分別叫：埃弗娜、埃弗露絲、埃弗拉、埃弗蓮和埃弗迪娜。而王子分別是：埃弗多、埃弗洛、埃弗頓、埃弗蘭特，當然還有已經給桃樂絲救出去的埃弗榮。

這些孩子都長得非常相似，紛紛擁著他們的母后。嚴肅而沉靜的埃弗多，是兄弟姊妹當中年紀最大的一個，也是王位繼承人。

比麗娜在宮殿裡無往而不利，幫助埃弗國所有皇室成員回復原形後，便開始用同樣的方式，解除那些綠色裝飾品的魔咒，不費吹灰之力就把稻草人和二十七名戰士回復原形。

「比麗娜，你太厲害了，居然能猜中這麼多！」稻草人點算了一下人數，緊張地說：「還有奧茲瑪女王、鐵皮人和小滴答還沒猜出來。」

這時候，房間的角落裡有一隻綠色的小蚱蜢吸引了比麗娜的注意，比麗娜立刻飛撲過去抓住，卻發現蚱蜢很堅硬，大感失望，「原來是翡翠做的，還以為可以吃一頓蚱蜢大餐呢。」

但牠靈機一動，馬上從失望變成高興，唸出：「埃弗！」

奧茲瑪女王就應聲回復了原貌，出現在大家的眼前，一如既往那樣美麗。

她以皇室的禮儀與埃弗國的皇室成員互相問候，接著又慰問了稻草人與二十七位戰士的狀況。

「現在還有誰未救出來？」奧茲瑪問。

「鐵皮人和小滴答。」稻草人說。

「放心，一定能找到的。」比麗娜說：「大家一起幫忙，看看還有沒有紫色和綠色的東西。」

於是，所有人依照比麗娜的指示，搜索紫色和綠色的東西，不一會，稻草人突然大叫：「找到了！我找到了一串葡萄水晶擺設！」

比麗娜連忙問：「什麼顏色的？」

「一半紫色，一半綠色。」稻草人回答道。

大家匆匆來到水晶擺設前面，果然看到有一半的葡萄是紫色，另一半是綠色。

比麗娜嘗試解除魔咒，抓住水晶唸：「埃弗！」

水晶立時消失，而小滴答出現在大家眼前。

比麗娜恍然大悟，「小滴答的前主人是埃弗國的前國王，而新主人則是桃樂絲。諾姆國王分不清小滴答應該屬於埃弗國還是奧茲國，所以就把他變成紫色綠色各一半了。」

「那麼鐵皮人呢？我們已經找不到紫色和綠色的東西了。」奧茲瑪擔心道。

稻草人突然想起說：「諾姆國王這個混蛋說過，他把鐵皮人變成了一件最滑稽的東西！」

「最滑稽的東西是什麼？」小滴答問。

「不知道。」稻草人說：「我們分頭搜索，看到滑稽的東西就互相比較一下，用這個方法找出最滑稽的東西吧！」

於是各人分頭去找，最後覺得一個小丑雕像

最滑稽，便嘗試解除魔咒，可是他們猜錯了。

所有猜測機會已經用完，他們向宮殿門口走去，準備回到大廳。

當石門打開的時候，卻見門外已經站滿了諾姆士兵，個個身穿盔甲，手握戰斧，頭上戴著電燈，列好了陣勢在待命。而坐在寶座上的諾姆國王滿臉怒容，可怕極了。

第9章 對付諾姆國王的秘密武器

當比麗娜還在宮殿裡進行「猜測遊戲」的時候，鈴聲在大廳內響個不停，代表比麗娜不斷猜中，將受害者回復原形。

「可惡！該死……」諾姆國王憤怒到極點，罵了一堆髒話後，氣憤得跳下了寶座，發狂地頓足。

桃樂絲卻欣喜萬分，因為每一下鈴聲都表示有一個受害人獲救。她從沒想過比麗娜竟然可以在宮殿內眾多物品之中，一次又一次猜中目標。

數著鈴聲響起的次數，便知道比麗娜差不多把所有被施了魔法的裝飾品都猜對了。諾姆國王氣得七竅生煙，突然衝到通向陽台的小門，憤怒地推開門，吹口哨召喚他的軍隊。

轉眼間，成群的諾姆士兵從金門銀門擁出，沿著蜿蜒的樓梯爬上來，步入大廳之中。

桃樂絲慌忙拉著小王子躲到一旁。膽小獅雖然很膽怯，飢餓虎亦餓得四肢無力，但牠們依然站到桃樂絲的前面，努力地張牙舞爪，擺出一副兇惡的模樣，並吼叫起來；再加上鋸木馬像癲馬一樣不停地踢著後腿，嚇得一眾諾姆士兵不敢接近。

「先別管他們！那隻黃母雞快要出來了，別讓牠帶走我的裝飾品！」諾姆國王回到自己的寶座上，擺出一副威嚴的姿態。

這時候，宮殿的門果然打開了，比麗娜站在稻草人的肩膀上，帶著奧茲瑪、小滴答、二十七名奧茲國戰士和埃弗國的皇室成員凱旋而歸，但看到大廳裡滿布了諾姆士兵在「恭候」他們。

「投降吧！」諾姆國王怒喝道：「你們都被俘虜了。」

比麗娜不忿地質問：「你說過只要猜中裝飾品就讓我們離開，現在想反悔嗎？」

諾姆國王狡辯道：「我說過你們猜中可以離開，但沒有保證是活著、躺著，還是燒成灰燼之後才送你們離開啊！」

「你這個不守承諾的騙子！」奧茲瑪怒罵。

「如果你們肯乖乖投降的話，我可以答應，這次把你們變成可愛一點的裝飾品。」諾姆國王說。

「要是我們不投降呢？」奧茲瑪女王顯得很堅毅。

諾姆國王笑道：「那就別怪我的士兵把你們掉進熔爐去了。」

「懦夫！」比麗娜突然罵他：「只懂得以眾暴寡，有本事就和我們稻草人單打獨鬥！」

稻草人聞言怔了一怔，扭頭望向肩膀上的比麗娜。

比麗娜低聲說：「別怕，你有秘密武器。」

稻草人立刻明白牠的意思，鎮定了下來。

諾姆國王怒不可遏地跳下寶座，走上前

去，「可惡！我堂堂岩石之王羅克特，會怕你這隻滿身羽毛的怪雞和用稻草紮成的蠢人嗎？我用我的魔法腰帶，隨便使出一點魔法，就能把你們——」

他的話還沒説完，稻草人覺得距離足夠近了，突然從外套的右口袋裡掏出一隻雞蛋，朝諾姆國王的臉擲過去。

雞蛋不偏不倚正中了他的左眼，蛋液黏住了他半張臉。

「救命啊！救命啊！是雞蛋！」諾姆國王一邊驚叫，一邊走向眾士兵，命令道：「快幫我清除臉上的蛋液！」

這時稻草人把左口袋裡的雞蛋也拿了出來，又擲過去，這次正中諾姆國王的右眼。

「哇！又來！」諾姆國王慘叫。

一眾諾姆驚惶失色，一看到雞蛋就倉皇走避，「雞蛋啊！救命！」

大廳內混亂一片，過了好一會，才見到大總管拿著一盤水和毛巾匆匆趕來，幫諾姆國王清洗臉上的蛋液。

諾姆國王終於把臉洗乾淨之後，惡狠狠地盯著稻草人，怒罵道：「你這個腦袋塞滿草的蠢材！不知道雞蛋對諾姆來說是有毒的嗎？」

「就是因為知道，所以才拿雞蛋來對付你啊，蠢材！」稻草人說。

「可惡！我要把你們全部變成蠍子！」諾姆國王怒吼一聲，然後揮舞雙臂，唸起咒語來。

可是魔法施完後，卻沒有人變成蠍子。諾姆國王呆住，「怎麼回事？」

「噢！」大總管突然指著諾姆國王的肚子驚叫道：「陛下，你的魔法腰帶呢？」

諾姆國王伸手在腰上摸了摸，絕望地喊叫：

「給我閉嘴！」桃樂絲突然喝了一聲，諾姆國王的嘴巴立即如被針線縫上一樣，打不開，說不出話。

原來剛才大廳一片混亂的時候，桃樂絲趁機偷偷解下了諾姆國王的魔法腰帶，戴到自己的身上。

「桃樂絲，做得好！」大家稱讚她。

只見諾姆國王怒不可遏地指手畫腳，大總管代他翻譯，向所有諾姆士兵下命令：「全體士兵總動員！敵人已經沒有雞蛋了，大家不用怕，全力攻擊！」

眾諾姆便舉起武器，向奧茲國和埃弗國的一眾來客發動攻擊。

「快逃啊！」奧茲瑪匆忙地率領眾人，沿著來時那條長長的通道逃跑。

小王子艾弗榮更掏出一個哨子，拚命地吹著，像發警報一樣，催促大家速速奔逃。

諾姆士兵人多勢眾，眼看奧茲國戰士快招架不住之際，桃樂絲雙手一揮，嘗試施展魔法：「諾姆變雞蛋！」

魔法腰帶發揮效用，最前面的一排諾姆士兵應聲變成了雞蛋，在地上滾來滾去，嚇得後面的諾姆士兵驚呼狂叫：「哇！好多雞蛋！」

眾諾姆亂作一團，而桃樂絲他們終於從岩石上的入口逃了出去，安全逃離諾姆的地下王國。

外面的世界陽光普照，通往埃弗國的道路清晰明亮。這時桃樂絲才留意到鐵皮人不在，緊張地問：「鐵皮人呢？」

比麗娜低頭道：「我已經盡力了。所有人我都猜對，唯獨鐵皮人猜不中，我實在不知道他變成了什麼東西。」

稻草人補充道：「諾姆國王説過，他把鐵皮人變成了最滑稽的東西。」

「我要回去救他！」桃樂絲轉身就想從入口再走回去。

但奧茲瑪把她勸住，「等等！雖然你有魔法腰帶，但單人匹馬對付那麼多諾姆還是很危險的，必須先想清楚救人的步驟，不能魯莽行事。」

這時候艾弗榮仍然在吹著哨子，比麗娜不耐煩地説：「不用吹了，我們已經安全逃出來。」

艾弗榮便把哨子拿下，比麗娜看到了他的哨子，突然笑道：「哈哈，你的哨子很滑稽！」

一聽到「滑稽」這兩個字，桃樂絲立刻望過來，看到那哨子是一隻小肥豬的形狀，鐵皮做的，卻被塗成了綠色，吹嘴剛好在小豬的尾部，看起來真的十分滑稽。

桃樂絲問埃弗榮：「這哨子是從地下宮殿拿的嗎？」

「對啊，你怎麼知道的？」埃弗榮說：「你在宮殿裡忙著猜測的時候，我看到這個哨子，當時我怕自己會走失，所以就把哨子放進口袋裡，等到萬一失散了，就可以吹哨子來求救。不過，後來我又忘記把哨子還給他們。」

「不，這哨子很可能不是屬於他們的。」桃樂絲伸手摸著那哨子，然後唸：「埃弗！」

「嗖」的一聲，鐵皮人出現在大家眼前，他看看四周，驚訝道：「噢！自從我變成鐵皮人之後，這肯定是我第一次睡覺，我們是怎麼離開那個地下世界的？」

「你沒事了！」桃樂絲激動地緊抱著她的老朋友。

稻草人、膽小獅和奧茲瑪亦紛紛跑過來，開心地擁抱在一起。

第10章

故地重遊

這次任務可謂非常圓滿。整隊人馬回到埃弗國後，大王子埃弗多馬上繼承了王位。朗威德公主如釋重負，鬆了一口氣。

王后在陽台上向人民宣布：「這是你們的新任君主，埃弗多十五世。他今年十五歲，衣服上有十五枚銀色的搭扣，是統治埃弗國的第十五位埃弗多！」

台下的人熱烈地歡呼十五下，當中還有不少車輪人，他們都願意擁護新君主。

桃樂絲決定跟奧茲瑪和幾位老朋友一起回奧茲國，重遊故地，懷念一下。小滴答和比麗娜也跟著去。

他們利用魔毯穿過了危險的沙漠，從奧茲國東部的城邦蠻支金國入境，踏上黃磚路，向著美麗的翡翠城進發。沿路滿載著

桃樂絲上次來歷險的美好記憶。

到達首都翡翠城時，樂隊、官員和大批民眾穿著節日盛裝蜂擁而出，組成了龐大的歡迎隊伍，迎接奧茲瑪女王凱旋歸來。

傍晚時分，皇宮裡舉辦了一場盛大的宴會，參與這次任務的每一位功臣，都獲頒一枚鑲嵌著珍貴寶石的純金勳章。而桃樂絲甚至獲封為「奧茲國公主」，得到了一頂瑰麗的寶冠。

盡興過後，桃樂絲開始想念叔叔嬸嬸了。奧茲瑪帶她來到一個房間，桃樂絲馬上注意到牆上的一幅畫在不斷地

變化，一會兒是草地，一會兒又變成森林，有時是湖泊，有時是村莊。

「好神奇啊！」桃樂絲驚嘆。

奧茲瑪告訴她：「這是一幅魔法畫，我想看到世界上的任何地方或任何人，只要說出來，就會顯現在圖畫上，而且是當下的真實情況。」

「真的？」桃樂絲感到難以置信，急切地問：「我可以用一下嗎？」

「當然可以。」

桃樂絲於是對著魔法畫說：「我想看看艾姆嬸嬸。」

一瞬間，畫中出現了一個破舊的農場，從農舍的窗子可以看到艾姆嬸嬸正在屋內洗碗，看上去身體不錯，精神飽滿。桃樂絲的寵物狗托托正躺在太陽下酣睡。

「家裡的情況看來還不錯。」桃樂絲對魔法畫說：「現在我想知道亨利叔叔怎麼樣。」

魔法畫立時換成了澳洲的畫面，在悉尼的一個房間裡，亨利叔叔正坐在安樂椅上打盹。他的臉容很憔悴，頭髮花白，骨瘦如柴。

「噢！」桃樂絲擔憂道：「亨利叔叔精神很差，一定是因為擔心我，我必須馬上回到他的身邊！」

奧茲瑪望著桃樂絲仍繫在腰上的魔法腰帶，說：「不知道那魔法腰帶能不能幫你。」

「對啊！」桃樂絲如夢初醒，「說不定這條魔法腰帶能把我送到圖畫中的地方去！」

「你可以試試看。」奧茲瑪鼓勵她。

桃樂絲正想施魔法的時候，突然又猶豫起來，還解下了魔法腰帶，交給奧茲瑪。

「怎麼了？」奧茲瑪感到十分意外。

桃樂絲解釋道：「上次我穿著魔法銀鞋回去，結果銀鞋消失了。我想那是因為這些魔法物品只在這裡有效，一旦離開了仙境，就會消失。所以，我希望由你來幫我施魔法，這樣魔法腰帶就可以一直留在你那裡，隨時可以再運用。」

「我明白了，你真聰明。」奧茲瑪說。

「我還有一個請求。」

「請說吧，我一定盡力去做。」

桃樂絲說：「以後每個周六的上午，希望你都能從這幅魔法畫中看看我，如果見到我向你打手勢，就表示我想再次到奧茲國去，到時請你用魔法腰帶的法力，把我接過來，可以嗎？」

「當然可以，我很樂意這樣做。」奧茲瑪說。

約定好之後，桃樂絲向所有朋友道別，小滴答也想跟主人去澳洲，但桃樂絲擔心現實世界沒有人懂得替他維修，所以勸他留在奧茲瑪身邊。

比麗娜則恰恰相反，牠完全不想回去，「我在這裡發現了世界上最好吃的蟲子和螞蟻，所以我打算在這裡長住。」

一切交代好之後，桃樂絲準備就緒，奧茲瑪繫上了魔法腰帶，說出魔法指令：「把桃樂絲送到畫中的地方去！」

眼前閃過一陣光芒，桃樂絲就不見了，但可以在魔法畫上看到她。她正走向亨利叔叔的身邊，輕輕地叫：「亨利叔叔。」

亨利緩緩張開眼睛，看到了眼前的桃樂絲，驚喜得連話都說不清：「桃樂絲……你……沒有……」

「嗯，我沒有淹死。」桃樂絲說：「我回來照顧你了，亨利叔叔，你一定要盡快好起來。」

亨利叔叔緊緊地抱著桃樂絲，喜極而泣，「能看到你，我已經好多了。」

下期預告

《地心仙境》

桃樂絲去哈格森牧場度假時遇上大地震，與男孩澤比一同掉進了地上的大坑，來到了奇妙又可怕的地心世界，還重遇奧茲大法師。大家一起想盡辦法逃離地心世界，回到地球表面去，可是碰上重重難關，他們能否成功？

2023 年夏季出版

綠野仙蹤

奇幻物語

2 奧茲國公主

原著 法蘭克· 鮑姆（1856-1919）

改編 耿啟文

繪畫 Knoa Chung

策劃 余兒

編輯 小尾

設計 Zaku Choi

出版 創造館 CREATION CABIN LIMITED
荃灣美環街 1 號時貿中心 604 室

電話 3158 0918

聯絡 creationcabinhk@gmail.com

發行 泛華發行代理有限公司
將軍澳工業邨駿昌街七號二樓

印刷 高科技印刷集團有限公司

出版日期 2022 年 12 月

ISBN 978-988-76569-0-6

定價 $68

出版

創造館 CREATION CABIN

製作

KEEP CREATING

創造十年

CREATION CABIN LIMITED

10TH ANNIVERSARY